H.9)

le feu

Titre original de l'ouvrage: ''el fuego''
© José M.ª Parramón Vilasaló

© Bordas. Paris. 1984 pour la traduction française
I.S.B.N. 2-04-015372-1
Dépôt légal: Août 1985
Traduction française de Marie Anne Lécouté
Textes pédagogiques de Cecilia Hernández

Imprimé en Espagne par
Graficromo, S.A., Pol. Ind. ''Las Quemadas''
14014-Córdoba - en juillet 1985
Dépôt Légal: CO-1015-1985
Numéro d'Editeur: 785

la bibliothèque des tout-petits

María Rius
Josep Mª Parramón

le feu

Bordas

Il est rouge, très rouge....

... et orange et jaune....

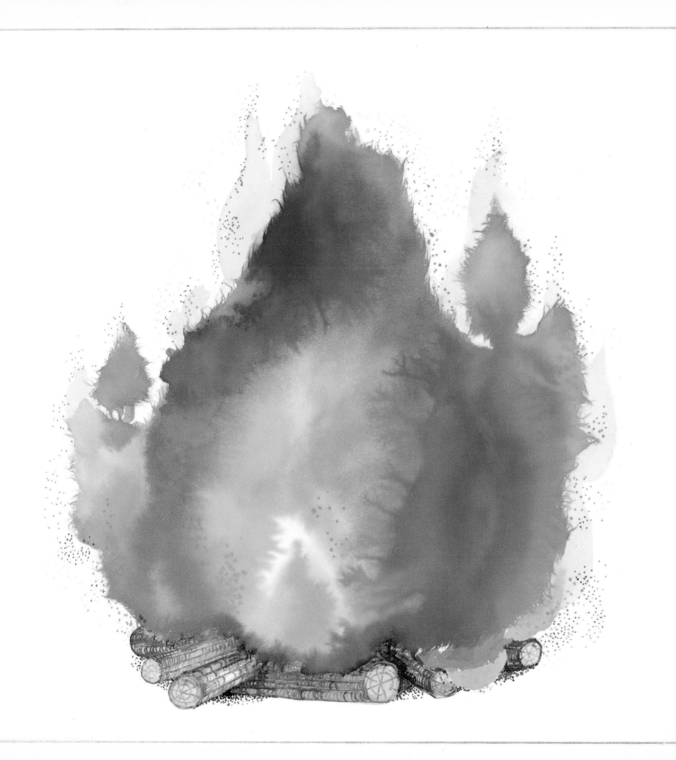

... et bleu et blanc et noir....

... et toujours différent!

Petit quand il s'allume....

... grand quand il croît.....

... terrible quand il s'étend.

Et il est mauvais quand il brûle....

... mais il est bon quand il réchauffe.

Il est bon pour cuisiner.

Il est bon pour mouvoir .....

... il est bon pour cuire, pour forger,
pour fondre... pour créer!

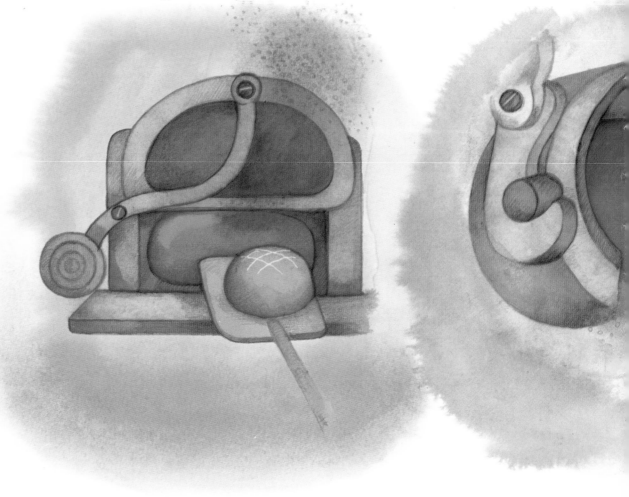

C'est le feu!

LE FEU

1. *Vive la clarté du feu,*
   vive sa clarté.

   "Feu, feu, joli feu,
   brûle, brûle avec vigueur.
   Feu, feu, joli feu,
   égaye notre nuit."

2. *Vive la chaleur du feu,*
   vive sa chaleur. "Feu.....

3. *Vive les braises du feu,*
   vive les tisons. "Feu....

Le feu qui nous réchauffe

Combien de fois, assis autour d'un feu, avons-nous chanté, ri, et nous sommes-nous sentis acompagnés. Sa lumière, ses couleurs, ses formes ont éveillé notre imagination, et sa chaleur nous a protégés dans les longues nuits d'hiver.

Qu'est-ce que la chaleur?

Dans l'Antiquité, on croyait que la chaleur était quelque chose de matériel, un fluide mystérieux que l'on appelait "calorique". Si elle était matérielle, elle devrait peser, et tu sais qu'un corps pèse autant chaud que froid.

Si tu mélanges un verre d'eau froide avec un verre d'eau chaude, tu obtiens de l'eau tiède. Que s'est-il passé? L'eau chaude a cédé de la chaleur à l'eau froide jusqu'à ce que leurs températures se soient égalées. On dit que "la chaleur est de l'énergie de passage", parce qu'elle se manifeste quand on met en contact deux corps de température différente.

Mets à chauffer un glaçon dans un récipient. La chaleur fournie par le feu de ta cuisinière est capable d'obtenir un changement de l'état de la glace et de la transformer en eau liquide. Si tu continues à chauffer, le liquide du récipient diminuera, et tu verras s'élever une fumée blanche. Il est en train de se transformer en vapeur d'eau! A présent son état est gazeux et il est resté dans l'air. Une même matière peut en général se présenter dans les trois états. En communiquant de la chaleur à un corps solide, il peut passer à l'état liquide ou gazeux, ou à l'inverse si on enlève de la chaleur.

Observe les rails du train. Chaque travée est séparée de la suivante de quelques millimètres. On les construit ainsi pour qu'elles n'éclatent pas en été, quand la chaleur dilate le fer dont elles sont composées. Observe un thermomètre de mercure. Sur quoi se base son fonctionnement? En chauffant, la majorité des substances se dilatent, et en refroidissant elles se contractent, bien qu'elles ne le fassent pas toutes dans les mêmes proportions.

Ça flambe!

Tu as déjà vu brûler une bougie, le charbon du barbecue, un incendie... On dit qu'une substance brûle quand elle se combine avec l'oxygène de l'air, avec dégagement de lumière et de chaleur. Ce processus se dénomme "combustion".

Les matières qui peuvent brûler sont appelées "combustibles". L'essence est un combustible: elle brûle à l'intérieur du moteur de la voiture; l'énergie qui se dégage de cette combustion est utilisée pour faire bouger la voiture.

Jette une boîte de conserve vide au feu. Les métaux ne brûlent pas. Si on chauffe beaucoup un morceau de fer dans un four spécial, il devient rouge. Cet état d'incandescence s'identifie aussi au mot feu.

Qu'est-ce que le feu?

Le feu est une matière allumée, avec ou sans flamme accompagnant la lumière et la chaleur qu'elle dégage.

Pratiquement la totalité de la matière qui constitue les étoiles est de la matière allumée. Cet état, différent du solide, du liquide ou du gazeux, est considéré de nos jours comme un quatrième état d'agrégation de la matière, que l'on dénomme "plasma", et c'est l'état d'agrégation le plus abondant de l'univers.

L'homme et le feu

Les premiers hommes luttèrent pour obtenir ses secrets. La tribu qui possédait le feu était la plus puissante. Avec les étincelles de la pierre à feu, elle allumait des feux, les protégeait et les contrôlait, les utilisait pour cuire ou griller ses aliments, et pour se défendre de l'attaque de certains animaux.

De nos jours, le feu est à notre portée. Nous savons en tirer profit. L'énergie "géothermique" utilise la chaleur interne de la terre. De l'eau froide est introduite jusqu'à une zone interne de haute température où elle se transforme en vapeur, qui en remontant mettra en marche des turbines branchées à un générateur, fournissant ainsi de l'électricité. L'énergie "solaire" utilise les radiations du soleil comme source de chaleur pour le chauffage, l'eau chaude... ou pour obtenir de l'électricité; cette transformation s'obtient au moyen de "cellules solaires".

Les dangers du feu

Comment est-il possible qu'un bois sec soit en contact avec l'oxygène de l'air sans que rien ne se passe, et qu'il suffise d'un mégot mal éteint pour que tout s'enflamme? La braise du mégot communique de l'énergie à la feuille sèche sur laquelle il est tombé, et celle-ci commence à brûler. L'énergie qui se dégage de la combustion active les feuilles voisines, leur donne un petit coup de pouce pour que celles-ci aussi commencent à brûler, et ainsi successivement elle se propage dans toutes les directions, à moins que le vent ne souffle dans une direction déterminée.

Chaque été, dans les pays chauds et secs, ont lieu de lamentables incendies. Un bois qui a mis des siècles à pousser est réduit en cendres en quelques instants. Il meurt! Non seulement meurent les plantes, mais encore de nombreux animaux. Quelques —uns arrivent à s'échapper. Ceux-là ont perdu leur foyer!

"Feu qui ranimes nos coeurs, ne t'éteins pas avec le temps. Laisse, ne serait-ce qu'une petite braise de la flamme qui brille dans nos années de jeunesse."